Adaptation de Ann Braybrooks
Illustrations de Phil Ortiz et Serge Michaels
Traduction : Syntagme

LES PRESSES D'OR

Imprimé au Canada. ISBN 1-895263-41-7. Dépôt légal : 3e trimestre 1993.
Bibliothèque nationale du Québec
Bibliothèque nationale du Canada

Une nuit, il y a de cela bien longtemps, deux cavaliers galopent dans le désert d'Arabie. Ils poursuivent un médaillon volant enchanté. Le médaillon s'arrête. Ô surprise, le sable se soulève pour sculpter l'entrée d'une caverne, pareille à une énorme tête de tigre, la gueule grande ouverte.

— Enfin! La Caverne des Merveilles! jubile Jafar, grand vizir du Sultan. Puis, il se tourne vers Gazeem, son compagnon. N'oublie pas, apporte-moi d'abord la lampe. Tu garderas le reste du trésor pour toi.

Au moment où Gazeem entre dans la caverne, la voix du dieu-Tigre retentit.

— Seul l'homme qui en est digne peut entrer ici.

Avec un rugissement, l'entrée de la caverne se referme, retenant Gazeem prisonnier. La tête de tigre disparaît, ne laissant que du sable.

— Il nous faut cette lampe! dit Jafar à Iago, son vilain perroquet. Il est évident que Gazeem n'était pas assez digne pour entrer dans la caverne. Nous devons trouver une personne qui l'est.

Le lendemain, dans la cité voisine d'Agrabah, un jeune paysan pauvre du nom d'Aladdin et son singe Abu s'enfuient, pourchassés sur la place du marché pour avoir volé du pain. Aladdin et Abu se faufilent entre les étals des marchands, jusqu'à ce qu'ils réussissent à semer les gardes du palais et à se mettre en sécurité en sautant par-dessus un mur élevé.

Aladdin et Abu ont une faim terrible. Mais, quand Aladdin aperçoit deux enfants affamés qui le regardent, il leur donne le pain.

Cette nuit-là, Aladdin et Abu retournent à leur maison sur les toits.

— Je sais, toi aussi tu as faim, dit Aladdin à Abu. Tu verras, les choses vont s'arranger. Un jour, nous serons riches et nous vivrons comme des rois!

Pendant ce temps, dans le palais du Sultan, la princesse Jasmine n'est pas heureuse du tout. La loi l'oblige à épouser un prince avant son prochain anniversaire, qui est dans trois jours.

— Père, je n'aime pas être obligée de me marier, avoue Jasmine. Tous les hommes que j'ai rencontrés étaient égoïstes ou prétentieux. Lorsque je me marierai, ce sera par amour et non pour obéir à la loi.

— Il n'y a pas seulement la loi, répond le Sultan. Je veux que quelqu'un veille sur toi lorsque je ne serai plus là.

Ces bonnes paroles ne consolent pas Jasmine. En fait, elle est tellement triste qu'elle est décidée à se sauver, même si elle n'a jamais quitté le palais. Elle se retrouve vite sur la place du marché... dans le pétrin.

Distraitement, Jasmine a pris une pomme sur un étalage.

— Tu as intérêt à la payer! menace le marchand de fruits.

— Mais je ne peux pas, pleure Jasmine, je n'ai pas d'argent!

Aladdin surgit brusquement et prétend être son frère.

— Elle ne voulait pas mal faire, explique-t-il au marchand de fruits, elle est un peu pauvre d'esprit.

Mais voilà qu'Abu prend quelques pommes, et le marchand de fruits appelle les gardes du palais.

Aladdin et Jasmine s'enfuient en courant sur la place du marché.

— Nous serons bientôt en sécurité, dit Aladdin. Mais il est tellement ébloui par la beauté de Jasmine qu'il ne voit pas qu'un garde les suit.

Le garde s'empare soudain d'Aladdin.

— Lâchez-le! crie Jasmine.

— Princesse Jasmine! s'étonne le garde. Jafar nous a ordonné d'arrêter ce paysan et de le mettre au donjon.

— C'est ce que nous allons voir, répond Jasmine, qui retourne en toute hâte au palais pour voir Jafar.

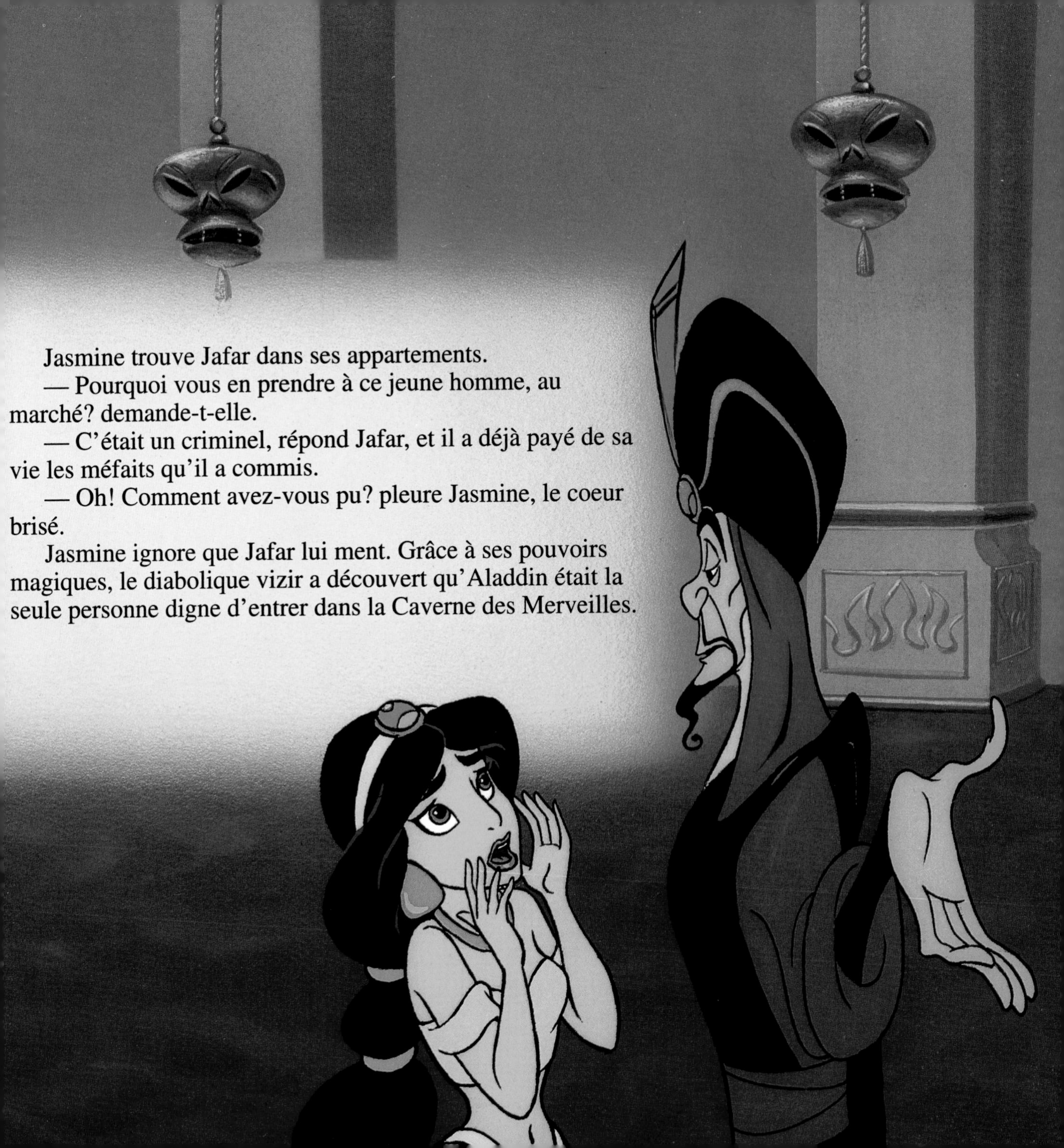

Jasmine trouve Jafar dans ses appartements.

— Pourquoi vous en prendre à ce jeune homme, au marché? demande-t-elle.

— C'était un criminel, répond Jafar, et il a déjà payé de sa vie les méfaits qu'il a commis.

— Oh! Comment avez-vous pu? pleure Jasmine, le coeur brisé.

Jasmine ignore que Jafar lui ment. Grâce à ses pouvoirs magiques, le diabolique vizir a découvert qu'Aladdin était la seule personne digne d'entrer dans la Caverne des Merveilles.

Tard cette nuit-là, Jafar, déguisé en vieux prisonnier infirme, rend visite à Aladdin dans le donjon.

— Je peux te rendre ta liberté et te récompenser généreusement, murmure le sournois Jafar, si tu m'aides à trouver une lampe spéciale.

Même si Aladdin se méfie, il répond :

— Marché conclu!

Ils se glissent hors du donjon et se hâtent vers le désert. Bientôt, ils sont devant le dieu-Tigre, dont la voix retentit.

— Allez-y. Ne touchez à rien d'autre qu'à la lampe.

Aladdin pénètre dans la caverne.

Aladdin et Abu sont dans une immense caverne, pleine de pièces d'or et de bijoux.

— Quel trésor! s'exclame Aladdin. Une seule poignée, et je serais riche.

Soudain, un superbe tapis tissé s'anime et se met à voler autour d'eux.

— Regarde! s'écrie Aladdin. Il y a même un tapis magique.

Voyant qu'Aladdin cherche la lampe, le tapis magique le mène rapidement dans une autre salle avec Abu.

— Voici la lampe! s'écrie Aladdin, le doigt pointé vers le haut d'un escalier. Attends ici, Abu. Et ne touche à rien.

Aladdin gravit les marches. Comme il arrive à la lampe, il se retourne et voit Abu s'emparer d'un énorme rubis chatoyant.

— Non, Abu! crie Aladdin. Trop tard! La Caverne des Merveilles commence à s'effondrer autour d'eux.

Protégés par le tapis magique, Aladdin et Abu survivent à l'effondrement. Ils sont cependant prisonniers de la caverne.

— Le vieil homme nous a bien eus avec sa vieille lampe qui ne vaut rien! dit Aladdin. Tout en parlant, il frotte la lampe. À son grand étonnement, la lampe commence à briller et un énorme génie en sort.

Le Génie s'écrie, avec un large sourire :

— Ahhh! Que c'est bon de sortir de cette lampe! Heureux de faire votre connaissance, maître!

— Une petite minute, l'interrompt Aladdin. Je suis ton maître?

— Exact, fiston, répond le Génie. Je peux exaucer trois de tes voeux. Mais je ne peux tuer personne, ni rendre les gens amoureux! Je ne peux non plus ramener les morts à la vie. Je peux cependant te faire sortir de cette caverne. Aussitôt dit, aussitôt fait!

Le tapis conduit toute la bande dans une oasis, et Aladdin se met à réfléchir.

— Quel voeu ferais-tu, toi? demande-t-il au Génie.

— Je souhaiterais être libre, répond le Génie.

— Dans ce cas, pour mon troisième voeu, je demanderai ta liberté, promet Aladdin. Et voici mon premier voeu. J'aimerais charmer une princesse aussi jolie qu'intelligente. Peux-tu faire de moi un prince?

— Alors, prince tu seras! répond le Génie, qui change le paysan vêtu de haillons en un prince élégant.

Le lendemain, pendant qu'Aladdin retourne en ville, Jafar s'entretient avec Iago, son perroquet.

— Je ferai faire ce que je veux au Sultan en l'hypnotisant avec mon sceptre magique à tête de cobra, dit Jafar. Dès que le Sultan m'accordera la main de Jasmine, je serai maître du royaume.

Cet après-midi-là, Jafar fait part au Sultan de ses projets de mariage. Mais avant qu'il ait fini, les portes de la salle du trône s'ouvrent à la volée, et un charmant prince entre.

— Je suis le Prince Ali Ababwa, et je viens de très loin pour demander la main de votre fille, déclare Aladdin,déguisé en prince.

— Comment osez-vous! s'indigne Jasmine, qui s'est glissée dans la salle. Vous n'avez pas le droit de décider de mon avenir.

Avant qu'Aladdin puisse répondre, Jasmine s'enfuit.

Craignant d'avoir perdu Jasmine à jamais, Aladdin demande conseil au Génie.
— Pourquoi ne pas lui dire toute la vérité? propose le Génie.
— Impossible! rétorque Aladdin. Mais je vais essayer de la voir.
Aladdin découvre Jasmine dans sa chambre. Elle accepte tout de suite de l'accompagner sur le tapis magique.

Pendant la promenade, Jasmine s'aperçoit que le Prince Ali est aussi le jeune homme du marché.
— Pourquoi m'avoir menti? demande-t-elle.
— Oh, quelquefois je m'habille comme les gens du peuple, répond Aladdin, encore hésitant à lui dire la vérité. Mais je suis réellement un prince.

Plus tard, Aladdin et Jasmine rentrent au palais. Après s'être souhaité une bonne nuit, ils s'embrassent, et Aladdin réalise alors qu'elle l'aime aussi.

«Enfin, ma vie prend meilleure tournure», pense Aladdin. Mais quelques instants plus tard, les gardes du palais l'arrêtent.

Sur l'ordre de Jafar, les gardes l'attachent et le bâillonnent. Ils l'emmènent au sommet d'une haute falaise et le jettent à la mer.

La lampe tombe du turban d'Aladdin, où il l'avait cachée. Le Génie apparaît sur-le-champ.

— Ne veux-tu pas que je te sauve la vie? le supplie-t-il.

Hochant désespérément la tête, Aladdin fait son deuxième voeu.

Le Génie aide Aladdin à retourner au palais. Aladdin retrouve Jafar dans la chambre de Jasmine. Il s'empare du sceptre à tête de cobra et rompt le charme de Jafar, qui avait hypnotisé le Sultan.

— Votre Majesté, déclare Aladdin, en plus d'avoir ordonné qu'on me tue, Jafar vous a également hypnotisé avec ce sceptre.

— Gardes! Arrêtez Jafar, ce traître! ordonne le Sultan.

Trop tard, Jafar s'est enfui. Mais, bien vite, le Sultan s'aperçoit qu'Aladdin et Jasmine s'aiment.

Pendant la journée, Aladdin pense à Jasmine et à son troisième voeu. Il ordonne au Génie de sortir de la lampe.

— Je suis désolé, lui dit Aladdin, mais je ne peux pas te libérer. J'aurai peut-être besoin de toi si j'épouse Jasmine et que je deviens le prochain Sultan.

Déçu, le Génie rentre dans la lampe. Aladdin croit entendre Jasmine l'appeler et il sort pour lui parler.

Iago se glisse alors dans la pièce et vole la lampe magique pour la donner à Jafar, caché dans la salle du trône.

Iago se précipite dans la salle du trône avec la lampe. Jafar appelle tout de suite le Génie.

— Fais de moi un sultan, ordonne Jafar, et de Jasmine et son père, mes esclaves. Le Génie obéit tristement.

— Mieux encore, continue Jafar, réalise mon deuxième voeu et fais de moi le sorcier le plus puissant du monde!

Le Génie obéit encore une fois. Devenu sorcier, Jafar change le Prince Ali en paysan et l'envoie très, très loin, en exil.

Heureusement, le tapis magique et Abu ont également été bannis avec lui. Aladdin demande au tapis magique de les ramener à Agrabah pour qu'il puisse libérer le Génie et détruire Jafar.

Quand Aladdin arrive au palais, Jafar ne peut en croire ses yeux.

— Combien de fois faudra-t-il que je me débarrasse de toi? rugit-il.

Aladdin sait qu'il ne peut vaincre la magie de Jafar, mais il décide de jouer d'astuce.

— Tu es puissant, dit Aladdin, mais un génie est beaucoup plus puissant. Pourquoi ne deviens-tu pas un génie?

Jafar prononce son troisième souhait. À la surprise générale, il se met à rapetisser de plus en plus. Il avait oublié un détail très important : tous les génies sont emprisonnés dans une lampe!

Le Sultan et Jasmine sont maintenant débarrassés de Jafar, et Aladdin peut faire son troisième voeu : libérer le Génie.

— Qu'importe ce que diront les gens, tu seras toujours un prince pour moi, dit le Génie à Aladdin, avec gratitude.

— C'est très vrai! s'exclame le Sultan. À partir d'aujourd'hui, la princesse est libre d'épouser l'homme de son choix!

Bien sûr, Jasmine choisit Aladdin. Le voeu le plus cher du jeune homme s'est enfin réalisé!